Salut à Johnny
Bisous
Emma

Emma Thomson's
felicity Wishes

FELICITY WISHES : HAIR MAGIC
Écrit et illustré par Emma Thomson

Traduit de l'anglais par Anna Piot
Mise en page : Isy Ochoa

Felicity Wishes © 2000 Emma Thomson.
Une licence White Lion Publishing.
Felicity Wishes : Hair Magic © 2004 Emma Thomson.

Cet ouvrage a été publié par Hodder Children's Books,
un département de Hodder Headline Limited.

© 2004 Éditions Générales First pour la version française.

ISBN : 2-87691-902-8

Dépôt légal : 4ᵉ trimestre 2004
Imprimé en Chine.

Emma Thomson

# Rose Felicity

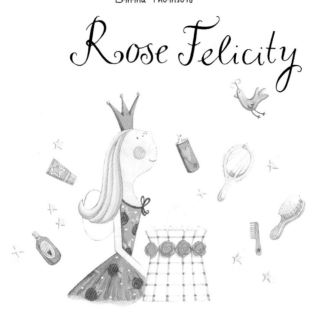

# Cheveux magiques

Tamino

C'est le jour du Bal des Fées à l'École de Magie. En temps normal, Rose Felicity n'aurait jamais pu empêcher ses ailes de frétiller d'impatience un tel jour! Mais aujourd'hui, en ce jour tellement attendu, c'est la catastrophe: ses cheveux sont impossibles à coiffer.

"Oh, mes cheveux, se plaint-elle désespérée à ses amies fées. Ils sont tellement raplapla qu'on croirait que j'ai une serpillière sur la tête! Et il ne reste que deux heures avant le début du bal. Qu'est-ce que je peux bien faire?"

"Ne t'inquiète pas, on va trouver une solution", la rassure Pauline, en examinant les cheveux de Rose Felicity.

"Ils n'ont jamais été aussi moches depuis le jour où j'ai confondu le shampoing et le décapant pour le four, ronchonne Rose. Toi, Violette, tes cheveux sont toujours brillants et gonflants, comment fais-tu?"

Violette rougit un peu. Elle n'aime pas être le centre d'intérêt.

"Eh bien, dit-elle en farfouillant discrètement dans son sac, j'utilise tous les produits existants, du shampoing magique à la mousse pour cheveux de fée." Et, un à un, elle aligne tous les flacons, tubes et pots sur la table.

laque

miroir

peigne

brosse

gel

shampoing

ACCESSOIRES ESSENTIELS POUR CHEVEUX DE FÉE

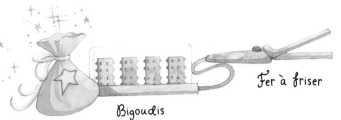

Paillettes magiques

Bigoudis

Fer à friser

"Wouah" s'exclament ses amies en chœur! "Je ne sais pas par où commencer", dit la petite fée sidérée.

"Et si je vous aidais à vous faire de jolies coiffures pour le bal? leur propose Violette. J'ai repéré plein d'idées sympas dans Cheveux de Fées."

"Oh oui, s'il te plaît", supplient les petites fées toutes ensemble et elles commencent à virevolter.

"Tout d'abord, commençons par un bon shampoing", annonce Violette en saisissant une bouteille de shampoing jaune vif. "Celui-ci, c'est ma recette spéciale!"

## POUR AVOIR UNE CHEVELURE DE RÊVE

⭐ Utilise toujours un shampoing adapté à tes cheveux.

⭐ Lave-toi les cheveux aussi souvent que nécessaire.

⭐ Dilue ton shampoing avec un peu d'eau.

⭐ Pour éviter les nœuds, démêle bien tes cheveux avant de les laver.

⭐ Après avoir lavé tes cheveux, utilise un après-shampoing.

Les petites fées se mettent à l'œuvre, chacune lavant les cheveux d'une autre. "Génial, on dirait que nos cheveux sont couverts d'étoiles", dit Pauline en se regardant dans le miroir.

"Maintenant il faut les sécher, et ensuite je pourrai vous coiffer", dit Violette.

Rose, Julie et Pauline se jettent toutes sur l'unique sèche-cheveux.

La première à se faire coiffer
par Violette, c'est Rose Felicity.
"J'aimerais quelque chose de féerique, s'il te
plaît", lui demande Rose en s'installant.
"Je sais exactement ce qui va t'aller. Une
magnifique couette sur le côté, entortillée
dans des élastiques magiques", lui murmure
Violette en commençant son travail.

En un rien de temps et avec moult
élastiques, brosses, rubans et barrettes,
Violette lui confectionne la plus jolie des couettes,
tout à fait dans le style d'une fée princesse.

"J'adore, s'exclame Rose Felicity, je n'ai jamais eu
une aussi jolie coiffure."

élastiques

brosse

barrettes

POUR LA COUETTE
UNIQUE, IL TE FAUT :

ruban

# APRÈS

## MODE D'EMPLOI

Brosse tous tes cheveux d'un côté
de la tête. Attache-les bien serrés en couette
avec un élastique. Enfile plusieurs élastiques.

Place-les à différents endroits de la couette.

Pour encore plus d'effet,
ajoute un nœud ou des barrettes
à paillettes.

# AVANT

"À ton tour, Julie", dit Violette en attrapant une poignée d'élastiques violets.

"Comme tu es une fée plutôt farfelue, je vais te faire un look rigolo avec des super macarons."

"Allez, allez, je suis impatiente de voir", dit Julie en gigotant sur sa chaise.

Violette se met au travail et très vite les petites queues se transforment en boucles, puis en macarons et en un rien de temps la coiffure de Julie est terminée.

Julie est abasourdie, ses cheveux n'ont jamais eu l'air aussi magiques !

brosse    élastiques    peigne    gel à paillettes

POUR LES MACARONS, IL TE FAUT :

# APRÈS

## MODE D'EMPLOI

Brosse tes cheveux et fais une raie au milieu.

Attache chaque partie en couettes
bien hautes.

Entortille chaque couette en macaron
et fixe-le avec un élastique.

Applique du gel pailleté,
ce sera plus joli.

Inquiète, Pauline s'assied devant Violette. "Je ne suis pas sûre d'oser faire comme Julie et Rose Félicity", lui annonce-t-elle. "Ne t'en fais pas, la rassure Violette, le plus important, c'est de trouver le style qui te va. Je pense que des mini tortillons t'iront très bien."

Et avant que Pauline ne proteste, Violette est déjà en train d'ajouter les barrettes, les unes après les autres. Une fois la coiffure terminée, Pauline respire un grand coup avant d'oser se regarder dans le miroir. "J'adore!" s'exclame-t-elle ravie, en s'examinant de tous les côtés.

peigne

barrettes

laque pailletée

Laque

## POUR LES MINI TORTILLONS, IL TE FAUT :

# APRÈS

## MODE D'EMPLOI

Peigne tes cheveux et divise les carrés depuis le front.
Tire-les en arrière en les entortillant.

Attache-les avec des barrettes et fais-en autant que
tu veux jusqu'à ce qu'il n'y ait plus un cheveu libre.

Fixe le tout avec de la laque
à paillettes et tu seras sublime.

Une fois coiffées, toutes les petites fées ont juste le temps de rentrer chez elles pour enfiler leurs jolies robes avant le début du bal.

"Est-ce que vous avez vu Violette ?" demande Rose à Julie et Pauline lorsqu'elles arrivent.

Elles ne sont pas bien longues à la trouver, ou plus exactement à trouver sa coiffure.

"Époustouflant !" s'écrit la petite fée complètement abasourdie. Quant à Julie et Pauline, elles en ont le souffle coupé.

La coiffure de Violette est un savant mélange de macarons, boucles et tortillons.

"Vous avez toutes de si belles coiffures que je ne savais plus quoi me faire, j'ai donc décidé de mélanger tous vos styles", leur explique-t-elle.

Le lendemain, les quatre petites fées se retrouvent sous le grand chêne.

"J'étais triste de devoir défaire ma jolie coiffure avant de me coucher hier", leur dit Rose Felicity.

"Moi, j'ai dormi avec mes tortillons, mais au réveil, ils avaient tous dégringolé", avoue Pauline.

"Et les miens aussi", dit Julie, toute déçue.

"Ne soyez pas tristes, vous avez encore votre natte magique", leur annonce Violette en souriant.

"Une natte magique?" interroge Rose Felicity étonnée.

"Oui, je vous ai fait à toutes une natte magique, sans vous le dire, explique Violette. Fermez les yeux et murmurez votre vœu. Quand votre natte se dénouera, il se réalisera."

"Dans ce cas, dit Rose, en touchant sa natte magique, je fais le vœu de ne plus jamais être mal coiffée."

# MODE D'EMPLOI
## DE LA NATTE DE FÉE

Prends une minuscule mèche
de cheveux et divise-la en trois.
Tresse soigneusement les trois
parties de haut en bas.
Attache ta tresse
avec un joli ruban.
Si tu en as envie, ajoute
un peu de laque brillante.

Et voici venu
le moment de faire un vœu !

Ferme les yeux et ouvre ton livre
puis choisis une page au hasard.
Fais ton vœu le plus cher
et murmure-le trois fois
dans la page.

Referme ton livre et garde-le
dans un endroit secret,
jusqu'à ce que ton vœu se réalise.

Bisous

Rose